Peppa fait du ski

hachette
JEUNESSE

Quelle magnifique journée ! Peppa et sa famille décident d'aller skier. Mais avant, il faut prendre le télésiège afin de rejoindre le sommet de la montagne enneigée.

— Brrr, c'est haut ! souffle Papa Pig.

Il faut dire que Papa Pig n'est pas à l'aise en hauteur.

La famille Pig s'installe
sur les télésièges.
— C'est amusant !
s'exclame Peppa.
Elle se met à chanter :
— Dans les airs,
Sur un télésiège,
Tout autour de nous,
Il y a de la neige
partout !

Hi !
Hi !
Hi !

Cric !

Crac !

Papa Pig, lui, ne trouve pas cela amusant
du tout. Il n'est pas rassuré à cause
des craquements du télésiège qu'il entend...

Alors qu'ils parviennent
au sommet de la montagne,
Papa Pig tombe du télésiège
et atterrit dans la neige !

– Ça va, Papa ? s'inquiète Peppa.
– Oh ! Oh ! Tout va bien, Peppa !
répond Papa Pig. Allons-y, le cours
de ski va commencer.

Pouf !

Madame Gazelle débute la leçon. Peppa, George et leurs amis apprennent à avancer et à s'arrêter.
— Youpiiii ! Le ski, c'est génial ! hurle Peppa tandis qu'ils descendent la piste des débutants.

— Pourriez-vous nous montrer comment vous skiez,
Madame Gazelle ? demande Peppa.

– Oh ! Je ne sais pas... hésite Madame Gazelle.

– S'il vous plaît ! crient les enfants en chœur.

– D'accord, accepte leur professeur.

Waouh ! Madame Gazelle réalise un magnifique saut. Tout le monde l'applaudit en criant bravo.

Waouh !

– C'était incroyable ! s'écrie Peppa.
– Merci, répond Madame Gazelle.
Vous savez, j'ai été championne du monde
de ski, et j'ai même gagné ce trophée.
– Oooh ! s'extasient les enfants.

— Au tour des parents, à présent ! Qui veut se lancer ? demande Madame Gazelle.

— Moi ! dit Maman Pig en s'avançant. Où mène cette piste ?

— En bas de la montagne ! lui crie Madame Gazelle.

— Au secours ! Où sont les freins ? hurle Maman Pig.

– Elle ne sait pas s'arrêter ! Il faut la rattraper ! dit Papa Pig, paniqué.

Maman Pig dévale la montagne. Mais elle ne s'arrête pas là… Elle traverse la route et dépasse le centre-ville.
— Aaaah ! Poussez-vous ! crie Maman Pig.
Emportée par son élan, elle fait un looping.

Enfin, les autres retrouvent Maman Pig.
Sa course a été arrêtée par un tas de neige. *Pof !*
— Grouin ! Tu es le plus joli bonhomme de neige
que j'aie jamais vu, maman, dit Peppa en riant.

— C'est la première fois que je vois quelqu'un skier
de façon aussi stupéfiante ! déclare Madame Gazelle.
Vous avez mérité ce trophée !

Madame Gazelle tend sa coupe à Maman Pig, que tout le monde applaudit.

— Ma maman est une championne ! Hourra ! s'écrie Peppa.

Retrouve vite une autre histoire
de Peppa et de George !

Grouin !